Tomi et l'hiver

**Kenneth Andersson
Eva Pils
Agneta Norelid**

Adapté du suédois par Yann Walcker

C'est l'hiver. Dehors, il neige.
Comme c'est joli !

Tomi s'est habillé pour sortir.
On dirait bien qu'il a oublié
quelque chose…

Son bonnet!

Tomi sait skier comme un grand.

Mais la luge, c'est
beaucoup plus amusant !
– Attention, Nina,
ça va trop vite !

Badaboum !

Oh, un bonhomme de neige!
Mais... où est Tomi?

Ici !

Coucou !

Youpi !
Voilà Pingouin qui arrive !

**Zlip ! Zlap !
Les deux copains
glissent sur la glace !**

**Mais déjà,
il recommence à neiger.
Oh là là, les gros flocons !**

Attention Tomi,
voilà le chasse-neige !

Tomi aimerait bien faire une bataille de boules de neige...

**Mais il fait trop froid,
il est temps de rentrer !**

Brrr!

Et pour se réchauffer, rien de tel qu'un délicieux goûter !